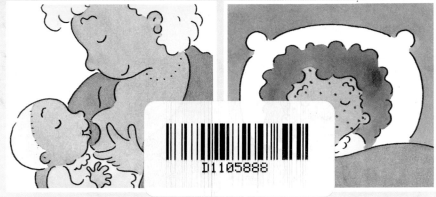

Nous remercions Pablo Fayet, masseur-kinésithérapeute, pour son aimable collaboration.

L'imagerie du corps humain

Conception :
Emilie Beaumont.

Texte
P. Simon.

Images :
N. Soubrouillard.

ÉDITIONS FLEURUS, 15-27 rue Moussorgski 75018 PARIS

ANATOMIE

ON EST TOUS DIFFERENTS

Il y a des milliards d'êtres humains sur la Terre, mais aucun ne ressemble exactement à un autre.

On n'a pas tous la même couleur de peau. Certains sont noirs, d'autres sont blancs ou jaunes.

Les personnes d'une même famille ne se ressemblent pas tout à fait. Chacun a quelque chose de différent.

ON EST TOUS FAITS PAREIL

On est grand ou petit, plutôt maigre ou plutôt gros, mais on a tous une tête, deux bras, deux jambes.

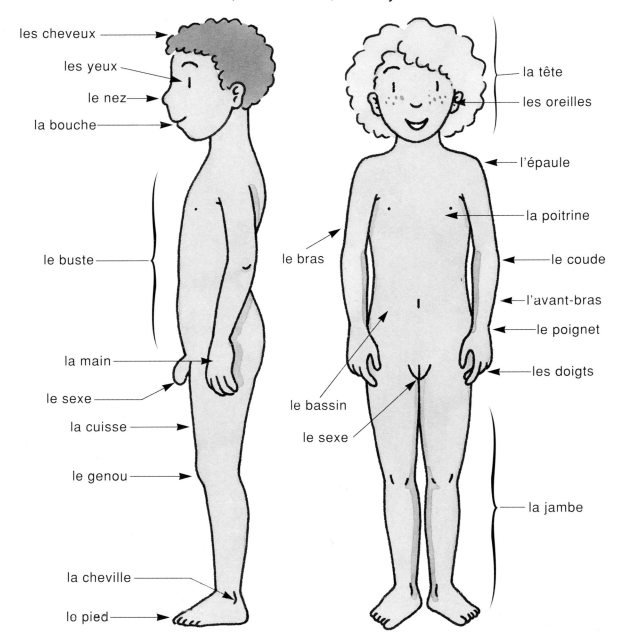

les cheveux

les yeux

le nez

la bouche

le buste

la main

le sexe

la cuisse

le genou

la cheville

lo pied

la tête

les oreilles

l'épaule

la poitrine

le coude

l'avant-bras

le poignet

les doigts

la jambe

le bras

le bassin

le sexe

Montre et nomme toutes les parties de ton corps en commençant par la tête.

9

LE SQUELETTE

On se tient debout, on marche, on court, on danse grâce aux os qui soutiennent notre corps. L'ensemble des os s'appelle le squelette.

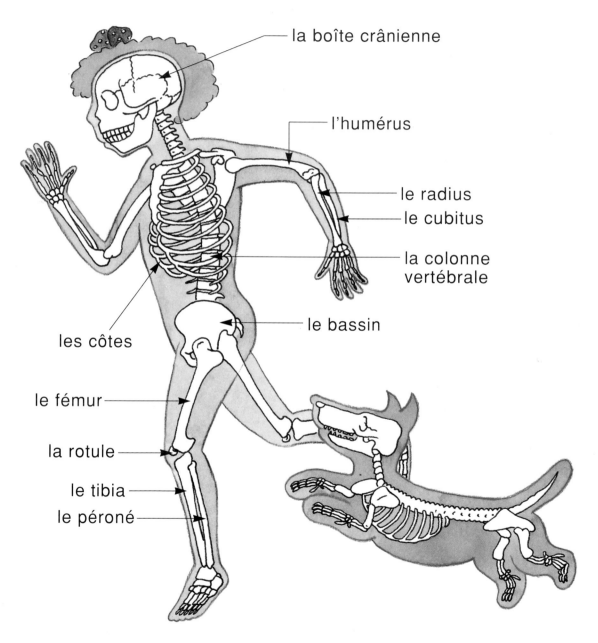

la boîte crânienne

l'humérus

le radius

le cubitus

la colonne vertébrale

le bassin

les côtes

le fémur

la rotule

le tibia

le péroné

Le corps humain possède 206 os. Ces os forment le squelette. Chacun de ces os a un nom. Essaie de te souvenir de quelques-uns d'entre eux.

LES ANIMAUX ONT-ILS UN SQUELETTE ?

Beaucoup d'animaux ont, comme nous, un squelette : les chiens, les chats, les oiseaux, les serpents, les poissons, etc.

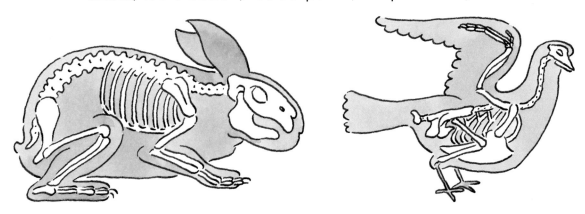

Les animaux qui ont un squelette font partie de la grande famille des vertébrés, c'est-à-dire des animaux qui possèdent une colonne vertébrale.

Le ver de terre n'a pas d'os. Son corps est tout mou.

Le poisson est aussi un vertébré, mais ce sont des arêtes et non des os qui forment son squelette.

Le crabe et l'escargot ont eux aussi un corps tout mou, mais il est protégé soit par une carapace soit par une coquille. Ces animaux appartiennent à la famille des invertébrés : animaux sans colonne vertébrale.

LES OS N'ONT PAS TOUS LA MEME FORME

Certains os sont longs, d'autres sont plats, tout petits, ou encore tout ronds.

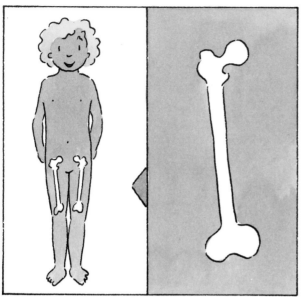

Le fémur, qui est l'os de la cuisse, est le plus long de tous les os.

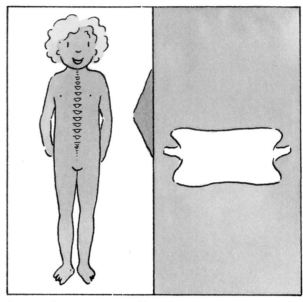

La colonne vertébrale est constituée de nombreuses petites vertèbres.

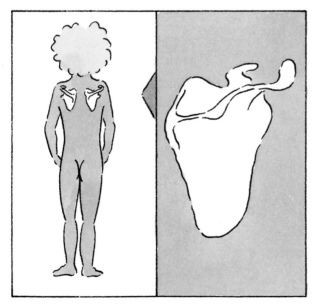

L'omoplate est un os tout plat qui se trouve dans l'épaule.

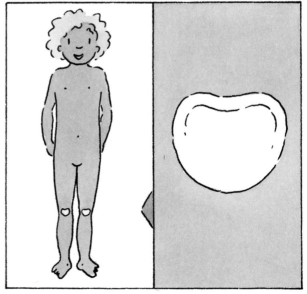

La rotule est un os arrondi. Elle se situe au niveau du genou.

LE ROLE DES OS

Certains organes de notre corps sont fragiles. Les os, qui sont très solides, les protègent des chocs.

La boîte crânienne protège le cerveau.

Les côtes et le sternum protègent le cœur et les poumons.

Si on n'avait pas d'os, on ne pourrait pas se mettre debout et on serait incapables de tenir un crayon !

LES OS GRANDISSENT

Les os grandissent jusqu'à l'âge de 20 ans, puis ils s'arrêtent. C'est pour cette raison que les adultes ne grandissent plus.

On mesure régulièrement un bébé pour contrôler sa croissance.

Il faut une bonne alimentation pour que les os grandissent.

Chez les nains, les os s'arrêtent vite de grandir. Chez les géants, les os grandissent trop. Les os du crocodile grandissent toute sa vie.

14

LES OS SE REPARENT

Les os sont solides, mais il arrive parfois qu'ils se brisent. On dit que l'os est fracturé.

En tombant, cet enfant va se casser l'os d'un bras.

A l'hôpital, on remet l'os en place et on l'immobilise dans un plâtre.

En quelques semaines, l'os se ressoude.

On enlève le plâtre et la fracture n'est plus qu'un mauvais souvenir.

LE SQUELETTE EST ARTICULE

Les os sont reliés entre eux par des ligaments. Ainsi, on peut faire de nombreux gestes dans presque tous les sens.

hanche

genou

cheville

Les os de la jambe s'articulent en trois endroits.

Chaque doigt est composé de trois petits os.

poignet

épaule

coude

Les os du bras s'articulent en trois endroits.

La mâchoire du bas est le seul os du crâne qui peut bouger.

LA COLONNE VERTEBRALE

Si tu passes ta main sur le milieu du dos d'une autre personne, tu vas sentir quelque chose de dur : c'est la colonne vertébrale.

La colonne vertébrale est très souple. Grâce à elle, on peut faire des galipettes en avant ou en arrière. C'est aussi elle qui tient la tête.

On peut se pencher à gauche ou à droite, mais en arrière c'est plus difficile. Essaie en prenant la même position que ce petit garçon.

EST-CE QUE TU PEUX LE FAIRE ?

On a dit que le corps était capable de faire beaucoup de mouvements, mais peut-il vraiment tout faire ?

Est-ce que tu peux tourner la tête complètement à l'envers et lever la jambe comme le fait le jeune garçon ?

Est-ce que tu peux plier la jambe dans ce sens-là et tourner le buste et la tête complètement à l'envers ?

LES MUSCLES

On lève un bras, on tourne la tête, on se baisse et on se relève grâce aux muscles qui sont attachés aux os.

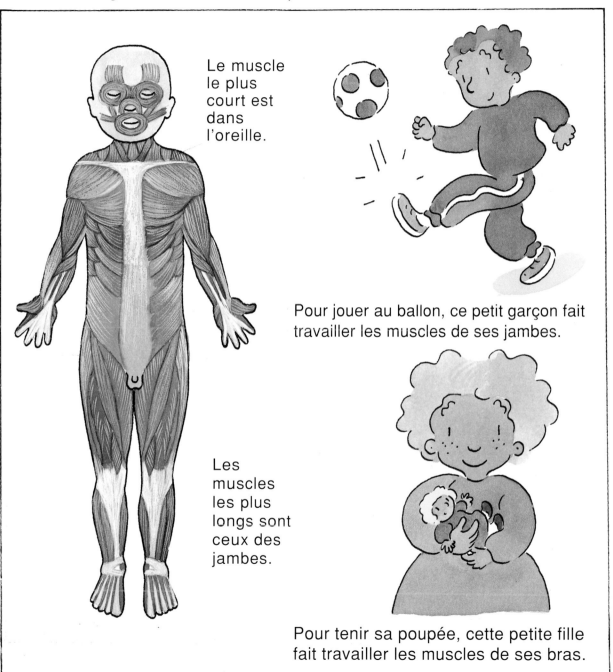

Le muscle le plus court est dans l'oreille.

Pour jouer au ballon, ce petit garçon fait travailler les muscles de ses jambes.

Les muscles les plus longs sont ceux des jambes.

Pour tenir sa poupée, cette petite fille fait travailler les muscles de ses bras.

LE ROLE DES MUSCLES

Les muscles sont de longues fibres. Comme des élastiques, ils s'allongent ou se raccourcissent en faisant bouger les os.

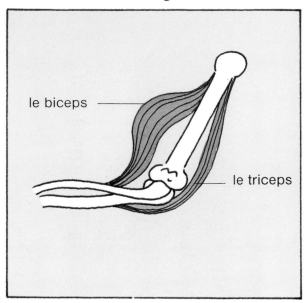

le biceps

le triceps

Pour plier le bras, le biceps se gonfle et tire l'os de l'avant-bras. Le triceps, lui, s'allonge.

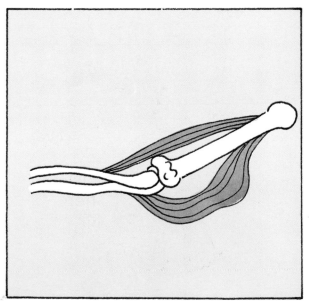

Pour tendre le bras, le biceps s'allonge et le triceps se gonfle en tirant l'os de l'avant-bras. Touche un de tes biceps et plie le bras; tu sentiras ton muscle travailler.

TOUJOURS EN ACTION

A chaque instant, il y a toujours un ou plusieurs muscles de notre corps en action.

On rit, on crie, on souffle, on ferme les yeux... Les muscles du visage ne s'arrêtent jamais !

Pour souffler, tu fais travailler les muscles de ton buste.

Certaines maladies détruisent les muscles. On est alors paralysé.

FORTS ET MUSCLES

Pour avoir des muscles puissants, les sportifs s'entraînent très souvent et très longtemps.

L'haltérophile soulève de lourds poids.

Ce cycliste est en plein effort : les muscles de ses cuisses sont très gros.

Certains font gonfler leurs muscles pour être élus « Monsieur muscles » !

Des appareils permettent de faire travailler les muscles.

LE CŒUR

Le cœur est un organe important. C'est un muscle qui ne cesse jamais de battre, même la nuit. S'il s'arrête, le corps s'arrête de vivre.

Ton cœur n'est pas plus gros que ton poing lorsqu'il est fermé.

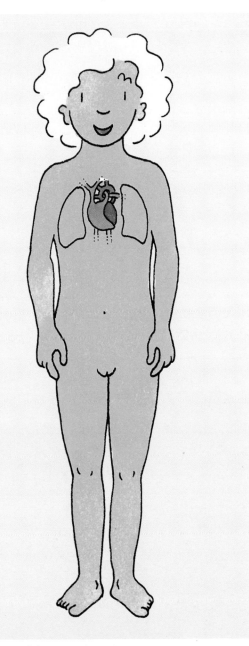

Le cœur est situé entre les poumons.

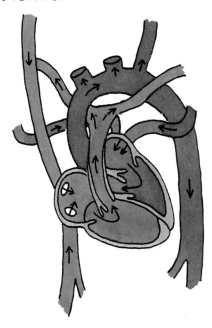

Chaque fois qu'il bat, le cœur envoie du sang dans toutes les parties du corps. Le sang qui revient du corps entre dans le cœur, puis est envoyé dans les poumons.

23

LES BATTEMENTS DU CŒUR

Quand on pose les doigts sur les veines du poignet ou du cou, on sent les battements du cœur.

Essaie de sentir les battements de ton cœur: c'est le pouls.

Le matin, quand on se réveille, le cœur bat environ 70 fois par minute.

Après une course, le cœur bat beaucoup plus vite.

Quand on est malade, le cœur bat aussi plus rapidement.

LE SANG

Le sang est un liquide rouge plus épais que l'eau. Ton corps en contient environ 3 litres, celui des adultes 5 litres.

On effectue une prise de sang pour faire des analyses.

Dans un laboratoire, on examine le sang au microscope.

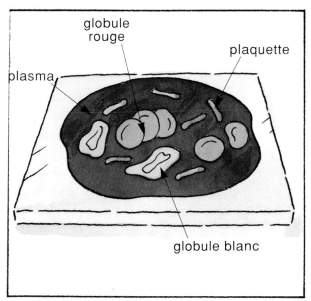

Le sang est constitué de plusieurs éléments.

En donnant son sang, on peut sauver quelqu'un.

LE SANG CIRCULE

Pour aller dans toutes les parties du corps, le sang passe par des milliers de kilomètres de vaisseaux sanguins.

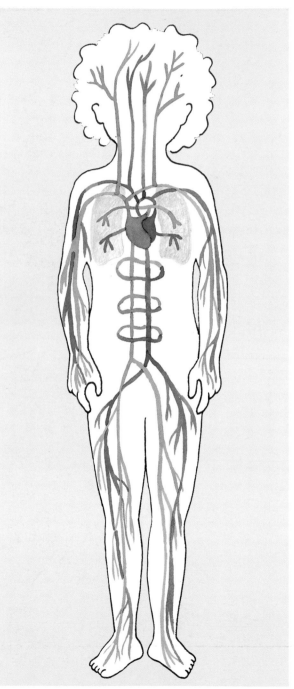

Le sang véhicule dans tout le corps les globules rouges et blancs et les plaquettes.

● Dans les poumons, les globules rouges prennent de l'oxygène, qu'ils emportent dans tout le corps, et se chargent de gaz carbonique, qui sera rejeté par les poumons.

● Les globules blancs protègent le corps : ils le défendent contre les microbes.

● Les plaquettes empêchent le sang de couler lorsqu'on est blessé.

● Le sang circule très vite : il part du cœur par de gros vaisseaux appelés artères et il revient par d'autres vaisseaux appelés veines.

LE ROLE DES GLOBULES BLANCS

Les globules blancs défendent le corps contre les microbes, qui sont de petites bêtes que l'on ne voit pas, mais qui peuvent rendre malade.

Les microbes sont partout : dans le sable, dans la terre, sur les plantes, dans la nourriture, dans l'air que l'on rejette en toussant, etc.

Les animaux portent également des microbes. On en attrape beaucoup sur les mains. Aussi faut-il les laver avant de se mettre à table.

27

ON N'A PAS TOUS LE MEME SANG
Il existe quatre groupes de sang : A, O, AB et B.
Il est important de savoir à quel groupe on appartient.

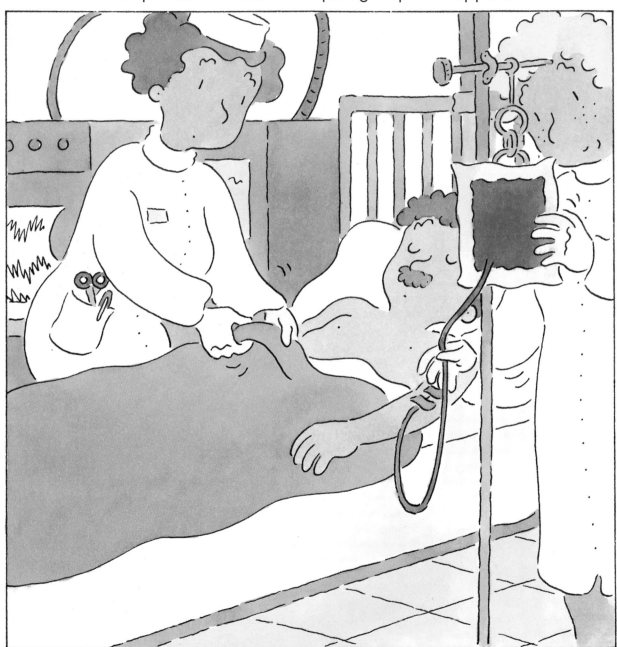

Quand une personne a perdu beaucoup de sang, on lui en donne d'une autre personne en vérifiant bien qu'il peut être mélangé au sien.

LE ROLE DES PLAQUETTES

Lorsqu'un vaisseau sanguin est coupé, le sang s'écoule. Alors, les plaquettes interviennent, car elles doivent vite refermer la plaie.

Quand un genou est écorché, il faut le nettoyer. Pendant ce temps, les plaquettes se mettent au travail pour empêcher le sang de couler et les microbes d'entrer.

Une croûte dure apparaît. Elle bouche la plaie.

Une nouvelle peau se forme et la plaie est cicatrisée.

29

UN CŒUR EN BONNE SANTE

Le cœur est comme un moteur. Sans lui, le corps ne peut pas fonctionner. Il faut donc en prendre bien soin.

Pour éviter les maladies de cœur, il est préférable de ne pas fumer et de surveiller son alimentation pour ne pas devenir trop gros.

Il est bon de faire du sport régulièrement.

Lorsque le cœur est malade, on passe un électrocardiogramme.

LES REINS

Le corps produit des déchets. Le sang les transporte jusqu'aux reins. Là, le sang est nettoyé et les déchets sont évacués.

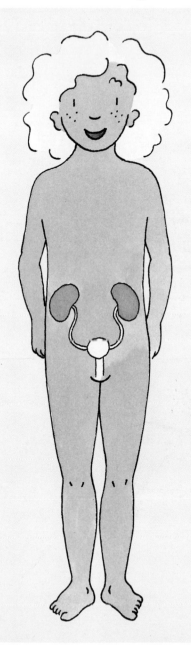

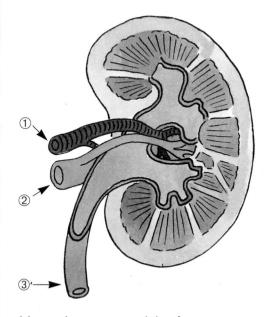

Un rein ressemble à un gros haricot, un peu plus petit que ton poing fermé. C'est un organe important, car il nettoie le sang. Il possède des filtres qui sont de véritables petites passoires et qui retiennent les déchets contenus dans le sang. Ces déchets forment l'urine qui s'écoule jusque dans une poche : la vessie.

1. et 2. Petits tuyaux par lesquels circule le sang.
3. Tuyau qui conduit l'urine jusqu'à la vessie.

On possède deux reins. Ils sont situés de chaque côté de la colonne vertébrale. Chaque rein est relié par un tuyau à la vessie.

POURQUOI FAIT-ON PIPI ?

Lorsque la vessie est pleine d'urine, il faut la vider et donc aller faire pipi. Sinon, elle pourrait déborder !

Quand on a envie de faire pipi, il est très difficile de se retenir. Aussi ne faut-il pas attendre longtemps avant d'aller aux toilettes.

LES POUMONS

Les poumons, qui se trouvent à l'intérieur de la cage thoracique, ont un rôle très important puisqu'ils nous permettent de respirer.

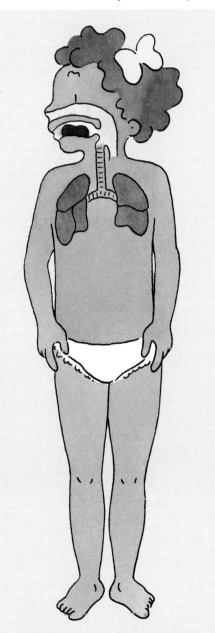

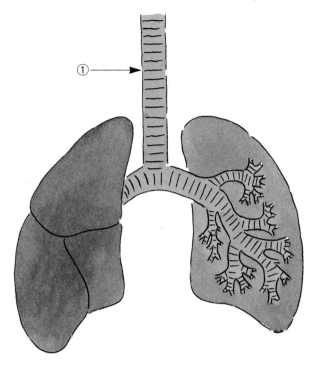

Vues intérieure et extérieure des poumons.

1. L'air qui entre et qui ressort des poumons passe par ce tuyau, que l'on appelle la trachée-artère.

Les muscles et le cerveau ont besoin à chaque instant d'oxygène. Lorsque le corps a utilisé cet oxygène, il se produit un gaz, le gaz carbonique, qui doit être éliminé. Quand on respire, on vide ses poumons de gaz carbonique et on les remplit d'oxygène.

La première chose que l'on fait en naissant est de pousser un cri : nos poumons se remplissent d'air et on commence à respirer.

LA RESPIRATION

En respirant, on fait entrer dans les poumons l'air contenant l'oxygène dont on a besoin et on rejette le gaz carbonique.

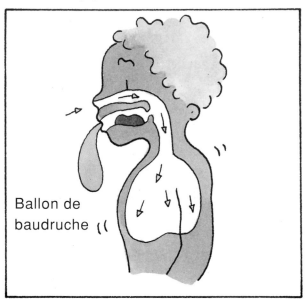

Ballon de baudruche

Quand on fait entrer l'air, les poumons se gonflent : le ballon ne bouge pas. En soufflant, on vide les poumons : le ballon se gonfle.

Lorsqu'il fait froid, l'air que nous rejetons forme un petit nuage.

En haute altitude, on respire grâce aux bouteilles à oxygène.

LE RYTHME DE LA RESPIRATION

On respire tout le temps, mais suivant nos activités on respire plus ou moins vite.

Quand on court, on a besoin de plus d'oxygène. Alors, on respire plus vite pour faire entrer plus d'air dans les poumons.

Quand on marche sans se presser, on respire plus calmement.

Quand on dort, la respiration est lente et régulière.

LE HOQUET

On a le hoquet. On ne respire plus normalement.
L'air sort très vite des poumons en faisant du bruit.

On a le hoquet quand on a avalé vite quelque chose de trop froid ou
de trop chaud. Il peut s'arrêter si quelqu'un nous fait peur.

D'autres remèdes pour arrêter le hoquet : se pincer le nez en avalant
un verre d'eau ou arrêter de respirer pendant quelques instants.

PROTEGER LES POUMONS

Les poumons sont des organes très fragiles. Et l'air qu'on respire contient beaucoup de poussières et d'impuretés.

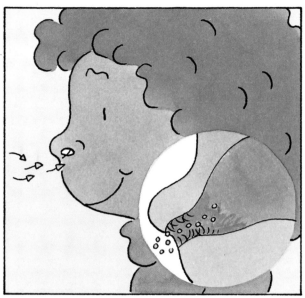

Dans le nez, les poils empêchent les poussières d'entrer.

La fumée de cigarette contient du goudron, qui abîme les poumons.

Certains métiers produisent beaucoup de poussières.

Quand l'air est trop chargé de poussières, il faut se protéger.

LES CORDES VOCALES

On parle, on crie, on chante grâce aux cordes vocales qui se trouvent dans la gorge. Ce sont deux fines membranes.

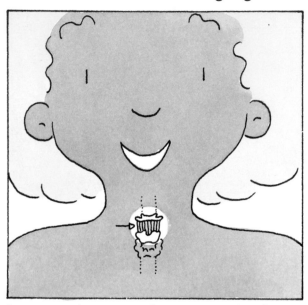 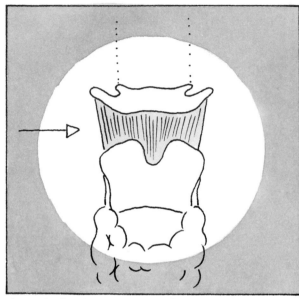

Les cordes vocales sont situées au fond de la gorge. Quand l'air passe dessus, elles produisent le son de notre voix.

Vers 13 ans, la voix des garçons change, elle devient plus grave.

Le son émis est différent d'une personne à l'autre.

LES DENTS

Les dents sont plantées dans les mâchoires. Elles sont très solides, car elles sont recouvertes d'une matière très dure : l'émail.

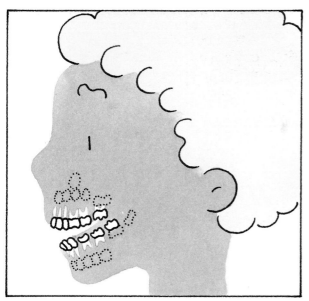

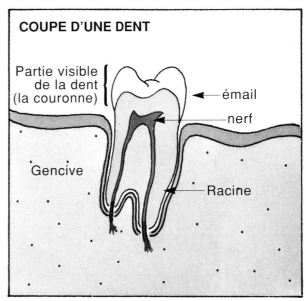

COUPE D'UNE DENT

Partie visible de la dent (la couronne)

émail

nerf

Gencive

Racine

Sous les dents de lait se trouvent les dents définitives.

Lorsqu'on a mal à une dent, c'est qu'une carie attaque le nerf.

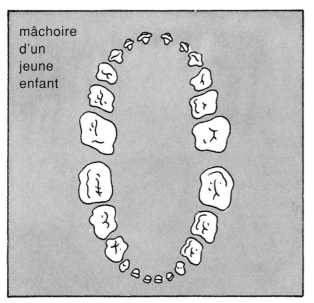

mâchoire d'un jeune enfant

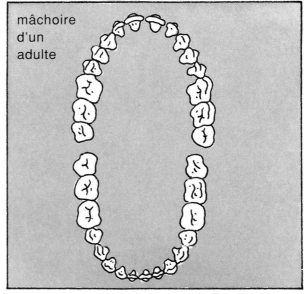

mâchoire d'un adulte

Un jeune enfant a 24 dents, un adulte en a 32. Les dents de devant servent à couper et à déchirer les aliments. Les grosses dents du fond servent à les écraser.

LES DENTS DE LAIT

Jusqu'à 6 ans, on appelle les dents des enfants les dents de lait, car elles poussent quand on est encore bébé.

A la naissance, les bébés n'ont pas de dents.

Les premières dents poussent vers l'âge de 7 mois.

A partir de 6 ans, les dents de lait tombent toutes seules.

Puis les dents définitives prennent leur place.

LE ROLE DE L'ESTOMAC

Pour vivre, on a besoin de nourriture. Mais le corps ne peut pas utiliser les aliments tels qu'ils sont quand on les mange.

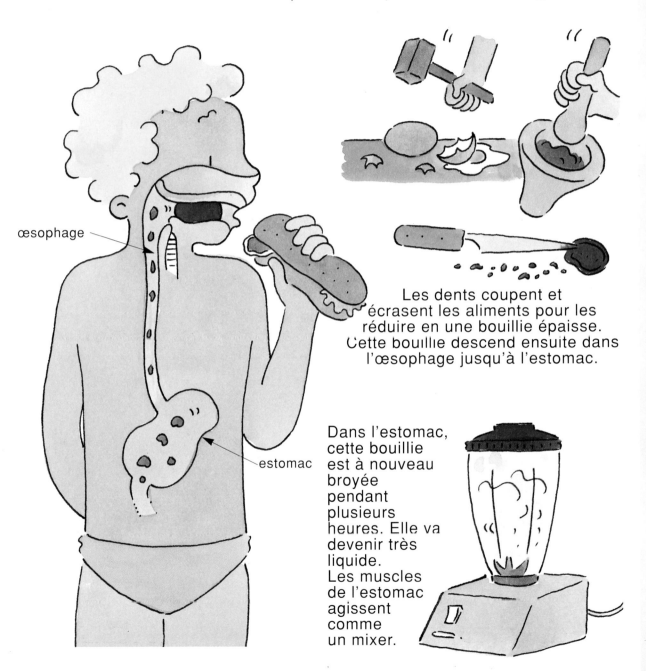

œsophage

estomac

Les dents coupent et écrasent les aliments pour les réduire en une bouillie épaisse. Cette bouillie descend ensuite dans l'œsophage jusqu'à l'estomac.

Dans l'estomac, cette bouillie est à nouveau broyée pendant plusieurs heures. Elle va devenir très liquide.
Les muscles de l'estomac agissent comme un mixer.

POURQUOI A-T-ON FAIM ?

L'estomac est une grande poche élastique. Quand elle est pleine
d'aliments, on n'a plus faim. Quand elle est vide, on a faim.

Le matin, l'estomac est vide :
on a faim.

Il faut prendre un solide petit
déjeuner.

Durant toute la matinée,
l'estomac travaille et se vide.

Quand arrive l'heure du
déjeuner, on a à nouveau faim.

LES INTESTINS

Après l'estomac, les aliments, réduits en une bouillie très liquide, se retrouvent dans les intestins, où ils sont triés.

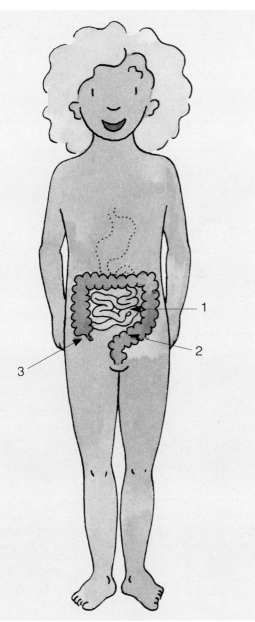

Quand ce petit appendice (3) s'infecte, on ressent une douleur violente dans le ventre. Il faut opérer pour l'enlever, mais ce n'est pas grave.

L'intestin grêle trie ce qui est bon pour notre corps et ce qui ne l'est pas. Ce qui est bon traverse la paroi de l'intestin et va dans le sang, ce qui n'est pas bon passe dans le gros intestin et est évacué par l'anus : ce sont les selles.

Les intestins sont un très long tuyau qui va de l'estomac à l'anus.
1 - Intestin grêle. 2 - Gros intestin.

MAL AU VENTRE

L'estomac est un organe fragile. Quand on lui demande trop de travail, il souffre, et on a mal au ventre.

Quand on mange trop, l'estomac a beaucoup de mal à faire son travail: on a alors mal au cœur et on vomit.

On peut aussi avoir mal au ventre parce que l'on mange trop en dehors des repas ou pendant que l'on joue.

LE VOYAGE DES ALIMENTS

Tout au long des pages précédentes, tu as découvert le voyage des aliments étape par étape. Vérifie tes connaissances avec ce schéma.

Qu'arrive-t-il
aux aliments
dans la bouche ?

Que fait l'estomac
lorsqu'il reçoit
les aliments ?

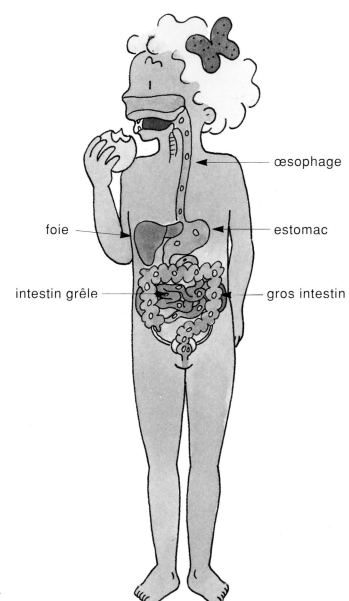

œsophage

foie

estomac

intestin grêle

gros intestin

Le foie: le sang qui part de l'intestin grêle chargé de bonnes choses pour ton corps passe par le foie. C'est une véritable petite usine qui transforme les aliments en fines particules.

Le foie fabrique aussi de la bile : c'est un liquide vert qui favorise la digestion des aliments.

45

A QUOI SERT LA LUETTE

La luette (1) et l'épiglotte (2) sont des petits barrages qui bouchent le conduit de l'air pour empêcher que la nourriture passe dedans.

La luette est visible au fond de la gorge.

on respire

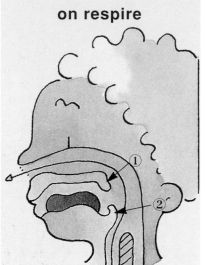

on avale

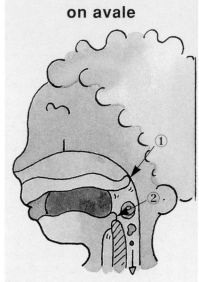

Observe bien la position de la luette et de l'épiglotte lorsqu'on respire et qu'on avale.

Quand tu manges trop vite, tu te mets parfois à tousser, tu t'étouffes : ta luette et ton épiglotte n'ont pas eu le temps de faire barrage et les aliments sont allés dans le conduit qui mène aux poumons.

JEU DES ORGANES

Depuis le début de cette Imagerie, tu as découvert de nombreux organes. Essaie de reconnaître ceux dessinés ci-dessous.

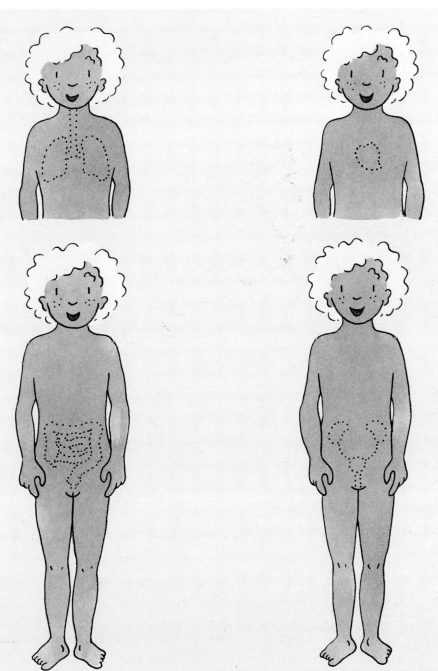

LE CERVEAU, UNE MERVEILLEUSE MACHINE

Le cerveau est comme un ordinateur très puissant et toujours au travail, même la nuit. C'est lui qui contrôle tout ce que l'on fait.

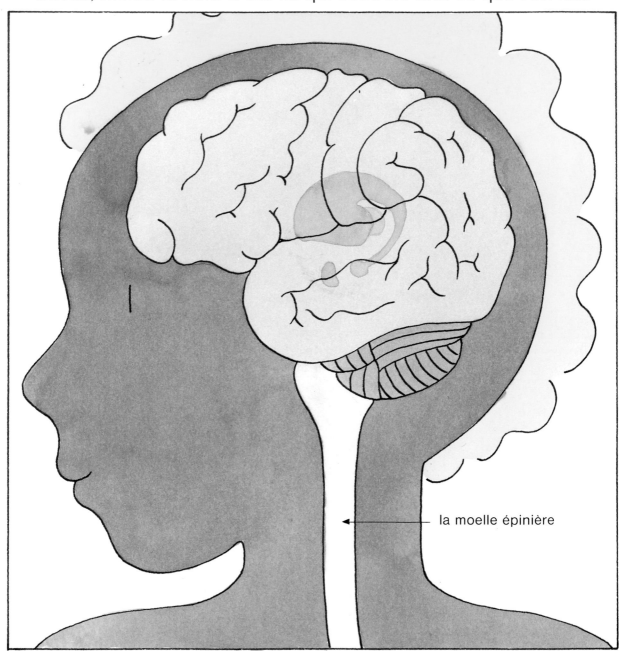

la moelle épinière

Le cerveau occupe tout l'intérieur de la boîte crânienne. Il est relié à toutes les parties du corps par la moelle épinière et les nerfs.

LES NERFS

Les nerfs sont comme des fils de téléphone. Ils relient le cerveau à toutes les parties du corps.

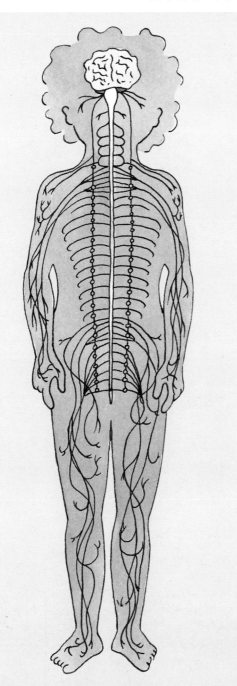

Le cerveau commande les mouvements de ton corps.

Par exemple, tu entends la sonnerie du téléphone : de petits signaux partent de ton oreille le long d'un nerf et préviennent ton cerveau. Si tu décides de décrocher, ton cerveau envoie des ordres aux muscles de tes jambes afin que tu te déplaces, et aux muscles de tes bras et de ta main pour prendre l'appareil.

QUAND LES NERFS S'ENGOURDISSENT

Il arrive parfois qu'on appuie sur les nerfs. Au bout de quelques minutes, les nerfs ne peuvent plus fonctionner normalement.

Quand on s'assoit ainsi, les nerfs sont écrasés. Les nerfs préviennent qu'ils sont engourdis grâce à des fourmillements dans les jambes.

Un petit massage rétablit le fonctionnement des nerfs.

Si on porte un sac trop lourd, les doigts sont engourdis.

DROITIER OU GAUCHER

C'est le cerveau qui décide avec quelle main on tiendra mieux son stylo, ses ciseaux ou sa raquette de tennis.

C'est aussi le cerveau qui décide avec quel pied on va plus facilement taper dans le ballon de foot.

Les droitiers se servent plus facilement de leur main droite que de leur main gauche. Les gauchers, au contraire, se servent de leur main gauche.

PENSER

A chaque instant, il faut résoudre des problèmes, réfléchir et prendre des décisions.

Cette enfant s'est arrêtée devant une barrière. Que va-t-elle faire? Elle réfléchit. Elle pourrait faire demi-tour, passer par-dessus ou par-dessous.

Elle a choisi. Elle va passer par-dessous la barrière.

Aussitôt, son cerveau envoie ses ordres dans tout le corps.

AGIR VITE

Le cerveau décide parfois très rapidement, et il donne ses ordres sans qu'on ait le temps de s'en rendre compte.

On voit arriver un danger, on fait un geste pour l'éviter.

On entend un bruit très fort, on ferme les yeux.

L'eau du bain est très froide, on retire aussitôt son pied.

On mange quelque chose qui n'est pas bon, on n'avale pas, on recrache.

LA MEMOIRE

Des informations qui arrivent au cerveau disparaissent. On les oublie. D'autres restent en mémoire, et on s'en souvient parfois longtemps.

Pour faire du vélo, il faut apprendre certains gestes précis. Ces gestes, on ne les oublie pas. Même lorsqu'on est devenu grand.

On se souvient de beaucoup de choses, un jouet qu'on aimait bien, une maison dans laquelle on a habité, un accident qui nous est arrivé.

L'INTELLIGENCE

Grâce à son intelligence, on peut réfléchir, comprendre, trouver des réponses, apprendre des choses nouvelles...

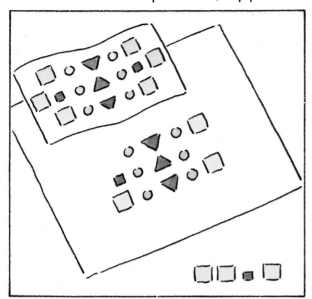

Essaie de mettre les carrés qui manquent à leur place.

Observe les clefs et montre celle qui ouvre le coffre.

Remets ces pommes dans l'ordre. Réfléchis bien.

Dis pourquoi cet arbre est tombé.

AS-TU UNE BONNE MEMOIRE?

Regarde attentivement ce dessin pendant 20 secondes, retourne-toi et essaie de dire le nom de tous les objets coloriés en rouge.

Amuse-toi à faire le test à un adulte en le laissant regarder 10 secondes (tu comptes jusqu'à 10).

56

LES CINQ SENS

DEUX YEUX POUR VOIR LE MONDE

Les yeux sont comme des caméras ou des appareils photo.
Ils prennent des images qu'ils envoient ensuite au cerveau.

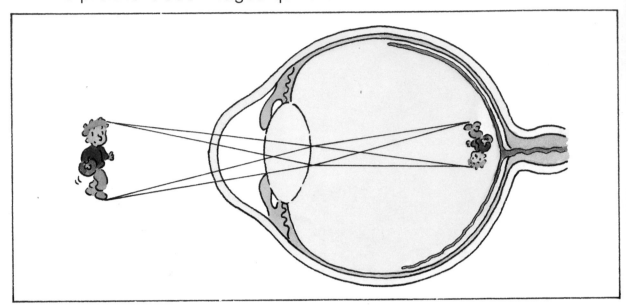

La lumière entre dans l'œil et l'image se forme au fond de celui-ci.
Elle est à l'envers, mais le cerveau la remet à l'endroit.

La lumière entre dans l'œil par une petite ouverture, la pupille, qui s'ouvre
plus ou moins: en plein soleil, la pupille est toute petite; dans la cave, elle
est grande ouverte.

LES YEUX SE PROTEGENT

Les yeux sont très fragiles, mais ils ont plusieurs façons très efficaces de se protéger.

L'air et la chaleur dessèchent les yeux ; les larmes les mouillent.

Des poussières se posent sur l'œil : les larmes les emportent.

Il y a un danger: les paupières se ferment. Les yeux sont à l'abri.

Il pleut: les sourcils et les cils arrêtent les gouttes.

QUI A BESOIN DE LUNETTES?

Certaines personnes voient mal. Leurs yeux forment des images floues.
Avec des lunettes, on aide les yeux à former des images nettes.

Cette petite fille est myope, elle ne voit pas bien de loin. Grâce à des
lunettes, elle voit le panneau bien net.

Cette grand-mère ne voit plus bien de près. Elle est obligée de reculer
son journal pour lire. Grâce à des lunettes, elle peut le lire facilement.

A QUOI SERVENT NOS DEUX YEUX ?

Nos deux yeux nous servent à voir autour de nous beaucoup plus de choses sans bouger la tête que si nous avions un seul œil.

Fais cette expérience : regarde droit devant toi et écarte tes bras en arrière. Jusqu'où peux-tu les voir? Ferme un œil. Que se passe-t-il?

Les yeux servent aussi à maintenir notre équilibre. Essaie de tenir debout sur une jambe les yeux ouverts. Puis ferme un œil: c'est plus difficile!

LES OREILLES

Les oreilles ont une forme spéciale qui ressemble à celle d'un coquillage et qui permet de bien entendre les sons.

Si tu mets la main derrière l'oreille, tu entends mieux.

Même les yeux bandés, on peut savoir d'où vient le bruit.

La partie invisible de l'oreille est très importante, car c'est elle qui transmet les sons au cerveau pour qu'il les reconnaisse.

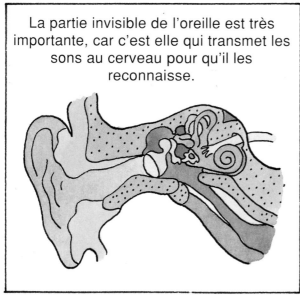

La partie visible de l'oreille s'appelle le pavillon.

Si un enfant a les oreilles décollées, il ne faut pas se moquer de lui !

LE TYMPAN

Le tympan est une petite peau très fine, comme la peau d'un tambour. Elle vibre quand un son entre dans l'oreille.

Pour protéger le tympan, l'oreille produit une pâte jaune, collante, le cérumen, qui arrête la poussière et que tu retrouves sur le Coton-Tige.

Quand on escalade une montagne, l'air à l'intérieur de l'oreille appuie sur le tympan. L'oreille se bouche. On entend moins bien. Quand on redescend, on entend comme avant.

ATTENTION AU BRUIT

Il faut faire attention au bruit. Des bruits trop forts peuvent abîmer l'intérieur de l'oreille et rendre sourd.

Dans certains métiers, il est indispensable de porter un casque sur les oreilles pour se protéger du bruit.

N'écoute pas la musique trop fort dans ton baladeur.

Ne t'approche pas trop d'un joueur de batterie.

L'ÉQUILIBRE

C'est grâce à la partie interne de l'oreille qu'on garde son équilibre.

Ce petit garçon vient de tourner sur lui-même

Quand on risque de tomber, l'oreille interne alerte le cerveau, qui commande les muscles pour que l'on fasse les gestes qu'il faut.

La voiture ou le bateau nous secoue. Les mouvements dérangent l'oreille interne qui nous tient en équilibre: on est alors malade, on a mal au cœur.

AVEUGLE ET SOURD

Quand on ne voit pas, on est aveugle.
Quand on n'entend pas, on est sourd.

Pour se déplacer, un aveugle utilise une canne blanche qu'il fait bouger devant lui pour éviter les obstacles. Il peut aussi être guidé par un chien.

Les aveugles lisent avec leurs doigts des livres en braille.

Les sourds ne parlent pas. Pour communiquer, ils font des gestes.

LA PEAU

C'est une grande enveloppe élastique et solide qui recouvre tout notre corps. A sa surface, elle est percée de petits trous: les pores.

En vieillissant, la peau change et des rides apparaissent.

La peau est élastique. Elle s'étend quand le ventre s'arrondit.

La peau contient de la mélanine, qui lui donne sa couleur. Plus elle en a, plus elle est foncée ; moins elle en a, plus elle est claire.

TACHES DE ROUSSEUR ET GRAINS DE BEAUTE

Les personnes qui ont la peau claire ont souvent de petites taches foncées sur la peau: ce sont des taches de rousseur.

Les taches de rousseur sont plus foncées en été à cause du soleil.

Si on a des grains de beauté à la naissance, ils ne disparaissent pas.

La couleur de la peau d'un enfant dépend de celle de ses parents. Les peaux claires sont plus fragiles que les peaux foncées.

LORSQUE LE SOLEIL BRILLE, ATTENTION !

Pour se protéger des rayons du soleil, la peau fabrique une grande quantité de mélanine. La peau devient plus sombre. On bronze.

Si l'on reste trop longtemps au soleil, la peau est brûlée. Elle meurt et se détache : on pèle. En quelques jours, une nouvelle peau apparaît.

Il fait chaud. La chaleur du corps augmente. On transpire.

La sueur s'écoule par les pores et rafraîchit le corps.

LA "CHAIR DE POULE"

Lorsqu'il fait froid, la peau rougit, les poils se dressent et on tremble:
on a la "chair de poule".

Les poils dressés ferment les pores.
La chaleur reste dans le corps.

On grelotte, ce sont nos muscles qui
s'agitent pour qu'on se réchauffe.

C'est la peur, parfois, qui provoque
la "chair de poule".

Quand la peur est passée, les pores
s'ouvrent et on transpire.

LORSQU'ON SORT DU BAIN

Dans le fond de la main et sous les pieds, la peau est plus épaisse.
Quand on est resté longtemps dans l'eau, cette peau est toute ridée.

Pendant le bain, la peau s'est
gonflée d'eau comme une éponge.

Elle est devenue toute molle et
elle fait des plis.

Les ongles aussi sont tout mous. Si on a besoin de les couper, il faut
le faire à ce moment-là, c'est beaucoup plus facile.

LES ONGLES ET LES EMPREINTES

Au bout des doigts et des orteils, la peau est protégée par les ongles et striée de petites lignes, les empreintes digitales.

Les empreintes nous aident à tenir les objets et à éviter qu'ils ne glissent. On en a au bout des doigts et sous les pieds.

On a tous des empreintes digitales. Mais personne n'a les mêmes.

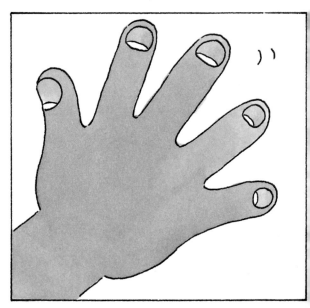

Les ongles des enfants poussent plus vite que ceux des adultes.

DES POILS SUR TOUT LE CORPS

On pense que les premiers hommes avaient la peau entièrement recouverte de poils épais qui les protégeaient du froid.

Notre corps aussi est recouvert de poils, sauf sur les lèvres, à l'intérieur des mains et sous les pieds. On en a plus quand on est grand.

Les poils des animaux sont plus épais et plus longs que les nôtres.

Les hommes ont plus de poils que les femmes.

PLUS DE 80 000 CHEVEUX

Les cheveux sont comme un chapeau, un bonnet ou un parapluie.
Ils protègent la tête du froid, des rayons du soleil et de la pluie.

Blonds, bruns, roux ou châtains, la couleur des cheveux dépend de la
quantité de mélanine que notre corps contient.

LA PEAU EST SENSIBLE

Dès qu'on touche un objet, la peau envoie des informations au cerveau. On est alors capable de dire s'il est chaud, froid, lisse, etc.

Les parties du corps qui sont le plus sensibles sont les lèvres, les mains et les pieds.

Les chatouilles sont des sensations particulières qui ne se produisent qu'à certains endroits du corps. A quel endroit de ton corps es-tu chatouilleux ?

75

RECONNAITRE CE QUE L'ON TOUCHE

Grâce à la peau, on reconnaît ce qui est froid, ce qui est chaud, ce qui est sec, ce qui est humide.

On reconnaît également ce qui est agréable, ce qui fait mal, ce qui est dur, ce qui est mou.

Parfois, la peau se trompe. Mets la main dans une eau glacée, puis dans de l'eau froide: l'eau froide va te paraître chaude.

LA LANGUE

Chaque partie de la langue reconnaît un goût particulier. Au milieu, la langue n'en reconnaît aucun.

A l'arrière, la langue reconnaît ce qui est amer, comme l'oignon.

La langue ressent aussi le chaud, le froid et la douleur (quand tu te mords, par exemple).

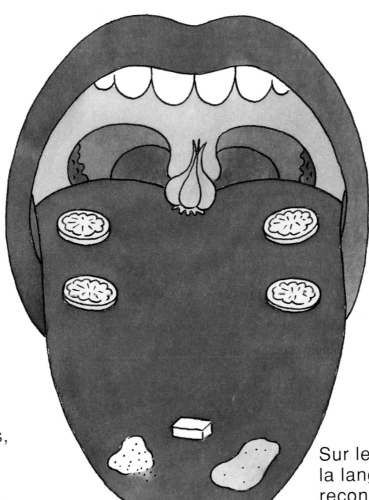

Sur les côtés, la langue reconnaît ce qui est acide, comme le citron.

Sur le devant, la langue reconnaît le sucré et le salé.

Si on se brûle la langue en buvant ou en mangeant quelque chose de très chaud, elle ne reconnaît plus aucun goût pendant quelques jours.

77

LA SALIVE

Pour bien reconnaître le goût des aliments, la langue doit toujours être mouillée de salive.

Si la langue est sèche, on sent moins bien le goût des choses. Fais l'expérience. Essuie-toi la langue et prends un petit peu de sucre.

On salive plus quand on va manger un aliment que l'on aime.

Sous la langue, on ne reconnaît pas bien le goût des aliments.

LE NEZ

Le nez sert à sentir les odeurs qui se déplacent dans l'air.
Il communique avec les oreilles et les yeux par de petits tuyaux.

Tous les nez n'ont pas la même forme. C'est ce qui donne de
la personnalité au visage.

POURQUOI LE NEZ COULE

Quand on est enrhumé, la peau de l'intérieur du nez se dessèche.
Pour la guérir, le nez produit un liquide qui s'écoule par nos narines.

C'est souvent en hiver que le nez
se met à couler.

Les gouttes dans le nez évitent
qu'il ne coule trop.

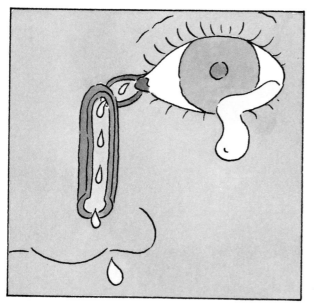

Un tout petit tuyau relie les yeux au nez. Alors, dès qu'on pleure,
notre nez se met à couler.

RECONNAITRE LES ODEURS

C'est important de pouvoir reconnaître les odeurs. Si on sent le gaz, on sait qu'il y a danger. Si le poisson ne sent pas bon, on ne le mange pas.

Les yeux bandés, on peut reconnaître les odeurs.

Quand on est enrhumé, on ne sent rien ou presque !

Des odeurs trop fortes peuvent donner mal au cœur.

C'est un métier de sentir des odeurs pour créer un parfum.

VRAI OU FAUX ?

Depuis le début de cette Imagerie, tu as appris beaucoup de choses. Réponds par vrai ou par faux, aux phrases que tu vas entendre.

1. Le fémur est un os.

2. On garde nos dents de lait jusqu'à l'âge de 20 ans.

3. C'est grâce à nos oreilles que l'on garde notre équilibre.

4. Si on s'amuse trop longtemps dans l'eau, notre peau se couvre de boutons.

5. Le cerveau aide à digérer.

NAITRE
ET GRANDIR

DESIRER UN ENFANT

Les parents de la petite Lucie s'aiment très fort et ils souhaiteraient qu'elle ait un petit frère.

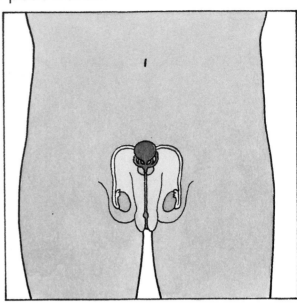

Pour faire le bébé, ils se serreront tendrement l'un contre l'autre et papa mettra son sexe à l'interieur du sexe de maman.

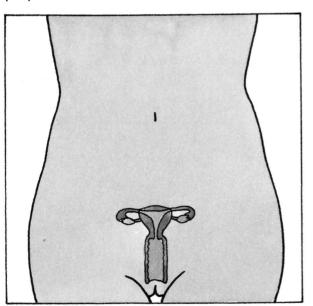

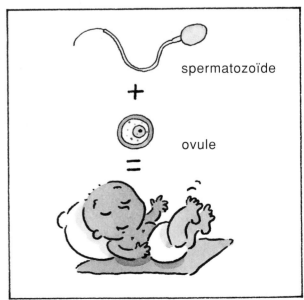

spermatozoïde

+

ovule

=

Au moment où leur bonheur sera le plus grand, papa enverra dans le ventre de maman des graines de vie : les spermatozoïdes.

Maman a en elle une autre graine de vie : l'ovule.

LES DEBUTS DE LA VIE

Pour qu'un bébé se forme, il faut qu'un spermatozoïde du papa rencontre un ovule de la maman.

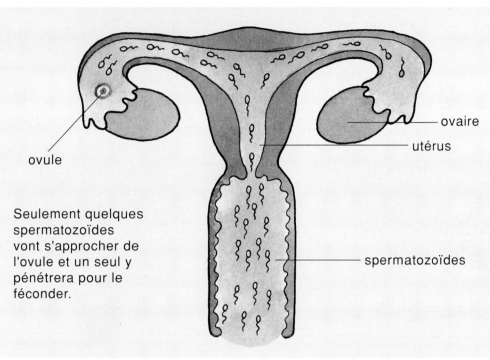

ovule

ovaire

utérus

spermatozoïdes

Seulement quelques spermatozoïdes vont s'approcher de l'ovule et un seul y pénétrera pour le féconder.

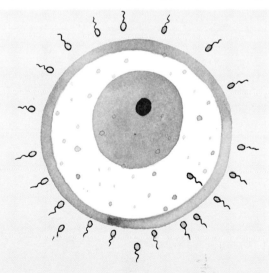

Quelques heures après avoir été fécondé, l'ovule commence à se diviser. Les spermatozoïdes qui n'ont pu pénétrer dans l'ovule sont morts.

UN NID POUR L'ŒUF

L'ovule fécondé est devenu un œuf. La vie commence. Mais maman ne le sait pas encore. Elle doit faire des examens.

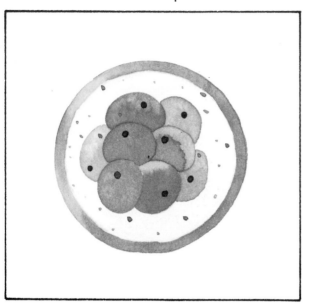

L'œuf continue de se diviser en quatre, puis en huit.

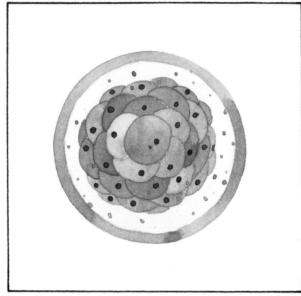

En quelques jours, une centaine de cellules se sont formées.

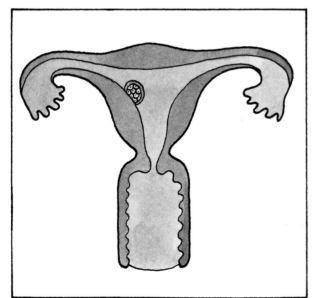

L'œuf se fixe ensuite dans l'utérus, où il va se développer.

Maman a reçu les résultats de ses examens: elle est enceinte!

LES PREMIERS MOIS

Ce sont des mois très importants, car le petit œuf se transforme
pour devenir un bébé minuscule.

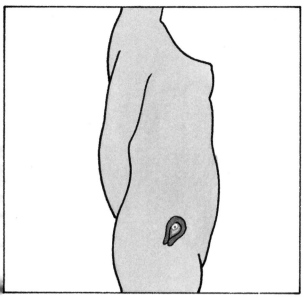

A la fin du 1er mois, le cœur
commence à battre.

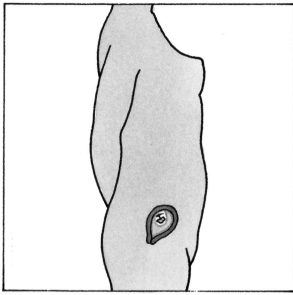

A la fin du 2e mois, les parties
importantes du corps sont formées.

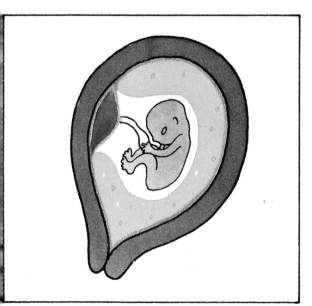

Vue d'un bébé en gros plan à
deux mois.

Maman a souvent mal au cœur.
Elle est fatiguée.

3ᵉ ET 4ᵉ MOIS

Tout est en place dans le corps de bébé, qui va simplement continuer de grandir.

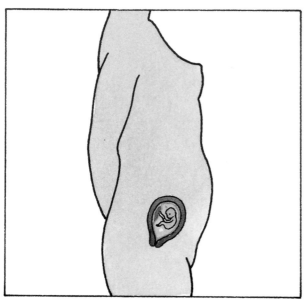

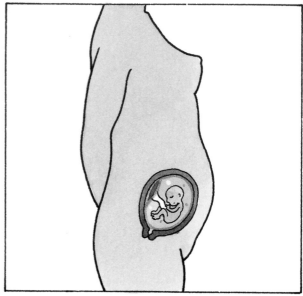

A 3 mois, les doigts et les orteils sont formés.

A 4 mois, bébé commence à bouger, ses cheveux poussent.

Pendant sa grossesse, maman surveille son poids et rend souvent visite à son médecin, qui vérifie que tout se passe bien.

6ᵉ ET 7ᵉ MOIS

Bébé grossit de plus en plus. Il suce son pouce et donne des coups de pieds dans le ventre de maman.

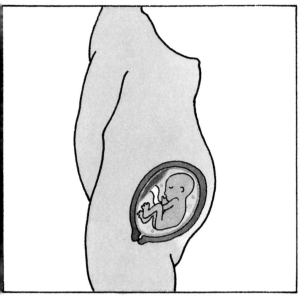

A 6 mois, le bébé mesure plus de trente centimètres. Il croise ses bras

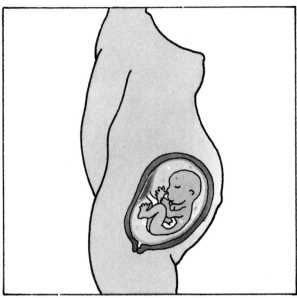

A 7 mois, le bébé est capable d'entendre la voix de sa maman.

Le ventre de maman s'est arrondi. Il est temps de commencer à acheter des vêtements pour le bébé. Lucie choisit les pyjamas !

LES DERNIERS MOIS

A la fin du 9ᵉ mois, maman commence à sentir des douleurs dans son ventre : bébé va naître.

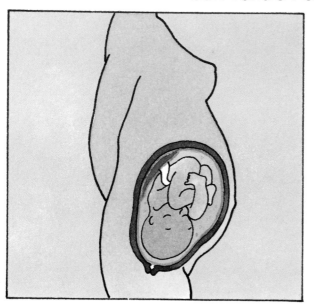

Pendant le 8ᵉ mois, bébé se retourne. Il a la tête en bas.

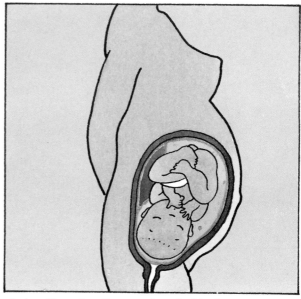

A la fin du 9ᵉ mois, bébé va quitter son nid douillet.

Le ventre de maman est devenu énorme.

Maman va partir pour la clinique. Tout est prêt pour bébé.

LE GRAND JOUR DE LA NAISSANCE

Pendant 9 mois, bébé a grandi dans le ventre de sa maman. Il est maintenant capable de vivre seul : le moment de la naissance est arrivé.

Bébé est posé sur le ventre de sa maman. Il cherche tout de suite à téter. Papa est heureux, il a pu assister à la naissance de son enfant.

LE CORDON OMBILICAL

Dans le ventre de maman, c'est par ce petit tuyau que bébé a reçu pendant 9 mois tous les éléments dont il avait besoin.

Après la naissance, le médecin accoucheur coupe le cordon ombilical afin de séparer définitivement le bébé de sa maman.

On garde toute sa vie la trace du cordon : c'est le nombril.

Il faut nettoyer souvent les petits plis du nombril.

LES PREMIERES MINUTES DE LA VIE

Avant de faire un tendre câlin avec sa maman, bébé va être nettoyé par une infirmière.

Les poumons du bébé fonctionnent. Bébé pousse son premier cri.

On nettoie le bébé, on le mesure, on le pèse.

On fixe à son poignet un bracelet d'identité avec son nom.

Quelques heures après, il commence à téter ou à boire au biberon.

LES JUMEAUX

Il arrive parfois que la maman donne naissance à deux enfants. Ce sont des jumeaux ou des jumelles.

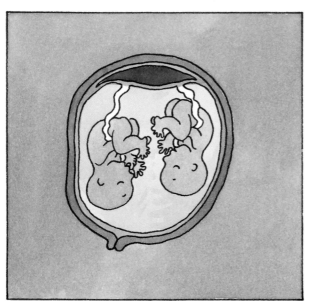 

L'œuf de la maman s'est partagé en deux. Deux bébés vont naître. Ce sont de vrais jumeaux. Ils se ressemblent parfaitement.

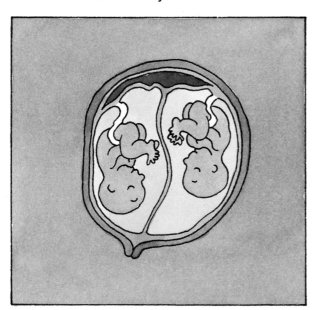 

Deux ovules ont été fécondés en même temps. Les deux enfants qui naissent sont de faux jumeaux. Ils ne se ressemblent pas exactement.

94

LA TOILETTE DE BEBE

Certaines parties du corps de bébé sont très fragiles. Quand on fait sa toilette, il faut faire très attention.

La tête est fragile : les os ne sont pas tous soudés ensemble.

Le nombril demande beaucoup de soins.

Un peu de talc pour adoucir la peau.

La toilette est terminée, bébé enfile sa brassière.

BEBE CRIE

Bébé ne parle pas. Pour appeler sa maman, il crie. Et il n'a pas de larmes, car son corps n'est pas encore capable d'en fabriquer.

Bébé crie quand il a faim, aussi bien le jour que la nuit.

Il crie quand il a froid ou quand il a chaud.

Il crie aussi quand il est fatigué, quand sa couche est sale, ou quand il est malade.

BEBE GRANDIT

Durant les premiers mois de sa vie, bébé grandit et grossit très rapidement. Il s'éveille au monde qui l'entoure.

Vers l'âge de 2 mois, le bébé fait ses premiers sourires.

Vers l'âge de 4 mois, il commence à manger à la cuiller

A 6 mois, il se tient assis et il attrape ses jouets.

Ses premières dents commencent à pousser. Ce sont les dents de lait.

BEBE APPREND A MARCHER

Les petits des animaux marchent dès leur naissance. Le bébé doit attendre l'âge d'un an environ, parfois plus, pour se déplacer tout seul.

A sa naissance, on vérifie si bébé a le réflexe de la marche.

A partir de 7 ou 8 mois, bébé marche à quatre pattes.

Aux environs d'un an, il peut se lever tout seul et marcher sans qu'on l'aide. Mais il n'est pas très sûr de lui et il tombe souvent sur ses fesses.

L'ENFANCE

Avec ses parents, ses frères et sœurs, plus tard en allant à l'école, l'enfant apprend à faire beaucoup de choses de plus en plus difficiles.

Vers l'âge de 2 ans, bébé parle correctement.

A 3 ans, il est propre et il peut aller à l'école.

A partir de 4 ans, il contrôle ses gestes. Il peut manger tout seul, s'habiller, se brosser les dents, se coiffer.

LA GRANDE ECOLE

A 6 ans, l'enfant quitte l'école maternelle. C'est une étape importante de la petite enfance.

A partir de 6 ans, l'enfant apprend à lire, à écrire et à compter.

A 7 ans, ses dents de lait commencent à tomber.

L'enfant a 8 ans. Il fait du sport, il joue de la musique, il danse. Il s'amuse aussi, seul ou avec ses amis.

L'ADOLESCENCE

Le corps de l'enfant se transforme. Le corps du garçon devient celui d'un homme, le corps de la fille devient celui d'une femme.

Le jeune adolescent (à partir de 13 ans environ) a ses épaules qui s'élargissent, sa voix devient grave, et des poils apparaissent sur son visage, sa poitrine, sous les bras et autour de son sexe. Son caractère change !

L'ADOLESCENCE CHEZ LA JEUNE FILLE

A partir de 11 ans environ, le corps de la jeune fille va commencer à se transformer.

La poitrine de la jeune fille se développe.

Des poils apparaissent sous ses bras et au-dessus de son sexe.

Elle aime se retrouver avec ses amies. Sa personnalité s'affirme.

Elle n'est pas toujours d'accord avec ses parents !

L'AGE ADULTE

Vers l'âge de 20 ans, le corps s'arrête de grandir, il a atteint sa taille définitive, mais les muscles continuent de se développer.

Entre 20 et 30 ans, le corps des garçons devient plus musclé.

Entre 30 et 40 ans, on a tendance à prendre un peu de poids.

Entre 45 et 50 ans, certains hommes commencent à perdre leurs cheveux.

A partir de 60 ans, les cheveux blanchissent, le corps s'épaissit.

LA VIEILLESSE

Les os deviennent plus fragiles et les muscles moins puissants.
Le visage se couvre de rides profondes.

Les yeux s'usent : les personnes âgées portent souvent des lunettes.

Elles ont parfois besoin d'une canne pour se déplacer.

Entre 60 et 70 ans, de nombreuses personnes âgées font du sport.

Certaines personnes vivent très longtemps, parfois plus de 100 ans.

HYGIENE ET ALIMENTATION

BIEN MANGER

Manger, c'est un plaisir bien agréable. Bien manger, cela veut dire manger de tout et ne pas manger trop.

La nourriture contient des éléments très différents, dont le corps a besoin. Pour être en bonne santé, on a besoin d'un peu de tous ces éléments.

LES ALIMENTS QUI DONNENT DE L'ENERGIE

Les sucres et les graisses donnent au corps l'énergie dont il a besoin pour fonctionner.

On trouve aussi les sucres dans le pain, les pâtes, les pommes de terre, les légumes secs, et les graisses dans la viande, l'huile, le lait et le beurre.

Dans une journée, on n'a pas tous besoin de la même quantité de sucres et de graisses. Cela dépend de l'âge et de l'activité que l'on a.

LES ALIMENTS QUI AIDENT À GRANDIR

Ces aliments sont indispensables au développement du corps.
Grâce à eux, tu grandis.

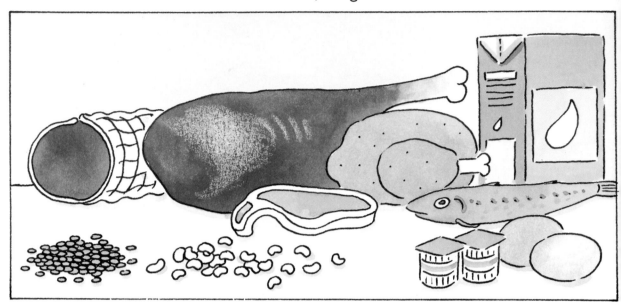

Les viandes, les poissons, les œufs, le lait, les légumes secs sont des aliments importants pour ta croissance.

Dans la bouillie, bébé trouve ce dont il a besoin pour grandir.

Les aliments servent à réparer le corps quand il est blessé.

LES VITAMINES

Ce sont des substances que l'on trouve dans tous les aliments et qui permettent le bon fonctionnement des organes, du cœur, du foie, des yeux...

Les vitamines des fruits et des légumes permettent de lutter contre les maladies.

Les vitamines des poissons gras, du fromage, du beurre sont bonnes pour les os.

Les vitamines du foie, du beurre, des œufs, de l'huile sont bonnes pour les yeux et la peau.

Les vitamines de la viande, des céréales, des fruits, des légumes sont bonnes pour les muscles.

POURQUOI DOIT-ON MANGER ?

On mange pour entretenir son corps, mais aussi pour avoir de l'énergie afin de pouvoir mener toutes ses activités.

Après une longue nuit sans manger, ton corps a besoin de nourriture afin que tu sois en forme à l'école.

On doit manger pour devenir grand.

On mange aussi pour lutter contre le froid.

COMMENT DOIT-ON MANGER ?

Pour digérer, l'estomac a besoin de beaucoup d'énergie. Si cette énergie est utilisée par d'autres organes, l'estomac se fatigue.

Quand on mange, on ne doit pas se mettre en colère.

On ne joue pas en mangeant, ou tout de suite après le repas.

Il ne faut pas manger entre les repas : on fatigue l'estomac.

Après un repas, il faut rester tranquille et se reposer un peu.

UN REPAS EQUILIBRE

Un repas équilibré est constitué d'une entrée, d'une viande ou d'un poisson avec des légumes, d'un yaourt ou fromage et d'un dessert.

Repas composé de :
– œufs durs mayonnaise
– chips
– gâteau

Repas composé de :
– cuisse de poulet
– 2 tranches
  de viande
– gâteaux
– glace

Repas composé de :
– crudités
– viande + légumes
– yaourt
– fruit

Repas composé de :
– pâté
– saucisson
– bonbons
– gâteau

Parmi ces quatre plateaux, un seul propose un repas équilibré.
Lequel ? Pourquoi les autres repas ne sont-ils pas recommandés ?

UN GRAND BESOIN DE DORMIR

Dans la journée, on dépense beaucoup d'énergie. Le soir, le corps est fatigué. Quand on est petit, il faut dormir beaucoup.

On bâille. Les yeux picotent. C'est le signe que l'on a sommeil.

On se couche, mais on a parfois un peu peur de s'endormir.

On aime bien avoir son nounours ou autre chose à côté de soi.

On aime bien aussi que papa ou maman raconte une histoire.

LES REVES

Le cerveau aussi se repose pendant la nuit. Mais pas tout le temps. Toutes les deux heures environ, il se remet à fonctionner et on rêve.

On rêve de choses qu'on a faites ou qu'on a vues dans la journée.

On rêve de choses dont on a très envie.

On rêve parfois de choses très étranges.

On parle aussi. On dit à haute voix ce qu'on dit dans son rêve.

On rêve toutes les nuits et plusieurs fois chaque nuit, mais on ne se souvient pas toujours de ses rêves.

On rêve parfois de choses qui font peur. Ce sont des cauchemars.

Si on se réveille aussitôt, on a du mal à se rendormir.

Les somnambules se lèvent, marchent, se recouchent tout en dormant. Quand ils se réveillent, ils ne se souviennent plus de rien.

SE SOIGNER QUAND ON EST MALADE

On ne se sent pas bien, on a de la fièvre. Le médecin vient nous voir ou on se rend à son cabinet.

Le médecin cherche s'il y a de petites boules dans le cou.

Avec son stéthoscope, il écoute la respiration.

Il examine le fond de la gorge.

Il vérifie que le ventre ne fait pas mal.

Quand le médecin a fini son examen, il sait souvent de quelle maladie on souffre et il est capable de nous soigner.

Il rédige une ordonnance sur laquelle il écrit le nom des médicaments qu'on devra aller acheter chez le pharmacien.

Il faut prendre des médicaments pour lutter contre la maladie.

Pour soigner certaines maladies, il faut aller à l'hôpital.

LES MALADIES

Quand on est petit, on attrape des maladies qui donnent de la fièvre et des boutons. On doit alors rester au lit.

La varicelle provoque des boutons qui grattent beaucoup.

Pendant les oreillons, les côtés du visage se mettent à enfler.

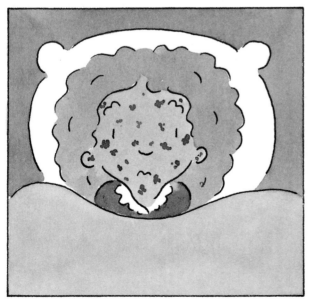

Avec la rougeole, on a des boutons rouges sur tout le corps.

On attrape aussi souvent des rhumes et on tousse beaucoup.

LES VACCINS

Pour lutter contre certaines maladies graves comme la poliomyélite, qui détruit les muscles, on se fait vacciner.

Malheureusement, il n'existe pas encore de vaccin pour toutes les maladies : les savants cherchent toujours le vaccin contre le sida.

LES MALADIES GRAVES

Tu entends souvent parler de cancers. Ils sont dus à un mauvais fonctionnement de certaines parties du corps.

Le traitement du cancer entraîne la chute des cheveux.

Il faut parfois passer un scanner pour voir à l'intérieur du corps.

Pour soigner certaines maladies, il faut opérer.

Après une grave maladie, il est souvent nécessaire de se reposer.

LES BLEUS ET LES BOSSES

Quand on reçoit un coup, il arrive parfois que les vaisseaux sanguins s'ouvrent sans que la peau soit coupée. Le sang coule sous la peau.

Si on reçoit un coup sur le bras ou sur la jambe, une tache de sang se forme sous la peau et on a un bleu.

Quand on reçoit un coup sur la tête, on a une bosse. Il faut alors poser une compresse mouillée d'eau froide et ne pas frotter.

POURQUOI FAUT-IL SE LAVER ?

On transpire tout le temps, même la nuit. En séchant, la sueur dégage une mauvaise odeur : il faut donc se laver pour sentir bon.

Le matin, une douche réveille. Le soir, un bain détend et prépare le corps à passer une bonne nuit.

En se lavant, on chasse les microbes qui pourraient se trouver sur la peau et provoquer des maladies.

Après le bain ou la douche, on peut se frictionner le corps avec un gant de toilette imbibé d'eau de Cologne ou avec une serviette.

Il faut surveiller aussi la propreté des ongles et les brosser souvent. Avec la pierre ponce, on enlève les peaux mortes des pieds.

SOIGNER SES CHEVEUX

Les cheveux vivent quatre ou cinq ans, puis ils tombent. D'autres poussent alors à leur place.

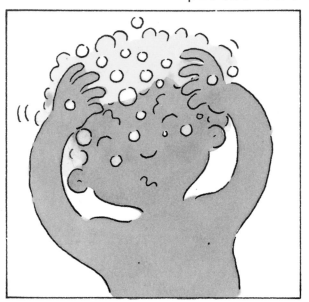

Il faut se laver les cheveux avec un shampooing doux.

Trop longs, les cheveux se cassent. Il faut alors les couper un peu.

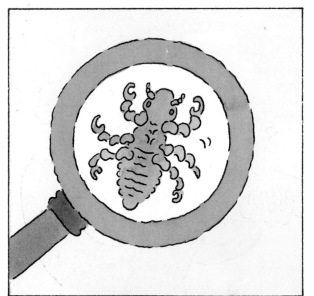

On attrape parfois des poux dans les cheveux. Il faut s'en débarrasser très vite, car ils se reproduisent rapidement.

LE ROLE DES CHEVEUX

Il faut bien entretenir ses cheveux, car ils ont un rôle important :
ils protègent la tête.

Ils évitent que les rayons du soleil touchent directement la tête.

Ils protègent la tête quand il fait très froid.

Grâce aux cheveux, on a moins mal quand un objet heurte la tête.

Les cheveux donnent de la personnalité à un visage.

DES DENTS EN BONNE SANTE

Avoir des dents en bonne santé, c'est facile si on prend quelques précautions.

Se brosser les dents tous les jours, après chaque repas.

Manger des œufs, du poisson, du fromage et boire du lait.

Ne pas se servir de ses dents comme d'une paire de pinces.

Aller chez le dentiste deux fois par an.

126

LES CARIES

Quand les aliments restent entre les dents, attention ! Les microbes se développent et font un trou : c'est une carie.

Si tu as mal aux dents lorsque tu manges une glace, c'est que tu as sûrement une carie. Il faut aller chez le dentiste.

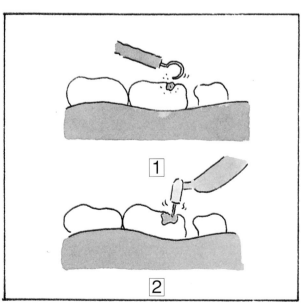

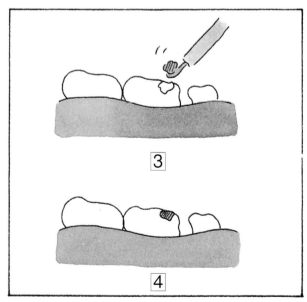

1 Le dentiste enlève les détritus qui sont dans le trou. 2 Avec la roulette, il nettoie les parois. 3 Il place du ciment dentaire. 4 Le trou est rebouché.

FAIRE DU SPORT

Faire du sport, c'est très important pour rester en bonne forme et en bonne santé.

Grâce au sport, on entretient la force des muscles.

On entretient aussi son cœur et ses poumons.

On bouge, on dépense de l'énergie. Cela fait du bien quand on est énervé.

Et c'est un plaisir aussi de jouer en famille ou avec des amis.

COLÈRE ET GROS CÂLIN

Quand on est très fâché, on se met en colère. Ensuite, on a souvent besoin d'un gros câlin avec quelqu'un qu'on aime bien.

Quand quelque chose ne nous plaît pas, on se met parfois en colère.

On crie, on pleure. Le cœur bat très fort.

On tape du pied, on est énervé.

On se calme et on fait un gros câlin pour oublier qu'on était fâché.

RIRE ET PLEURER

On rit quand on est gai, on pleure quand on est triste. Il n'y a pas que les enfants qui rient ou qui pleurent. Cela arrive aussi aux grandes personnes.

On rit quand on voit ou quand on entend quelque chose de drôle.

On rit. Les muscles des joues se détendent. La bouche s'ouvre toute grande.

On pleure quand on a mal ou quand on est triste. Les yeux se remplissent de larmes qui coulent sur les joues.

VRAI OU FAUX ?

A la fin de cette Imagerie, essaie de répondre
par vrai ou faux aux phrases que tu vas entendre.

1. La nourriture va dans les poumons.

2. Le foie bat soixante-dix fois par minute.

3. Quand on dort, on respire moins vite.

4. Les os grandissent pendant toute la vie.

5. On a tous les mêmes empreintes digitales
   au bout des doigts.

6. Le sang contient des globules blancs et
   des globules jaunes.

7. Les adultes ont 32 dents.

TABLE DES MATIÈRES

ISBN 2.215.030.21.6
© Éditions FLEURUS, 1993.
Dépôt légal à la date de parution.
Conforme à la Loi N°49-956 du 16 juillet 1949
sur les publications destinées à la jeunesse.
Impimé en Italie (01-02)

Un premier dictionnaire pour les 5-8 ans

maternelle **CP.CE**

Premier dictionnaire

Le petit **FLEURUS**

5000 mots expliqués par la magie des contes

1400 images

Pour les 5 à 8 ans

ÉDITIONS FLEURUS

À travers les contes, la lecture est au centre de la conception de ce nouveau dictionnaire. Grâce aux personnages et aux scènes des histoires que tous les enfants connaissent, les mots prennent vie dans des univers familiers pour stimuler l'envie de lire et de comprendre.

Pour apprendre à chercher : les 3 premières lettres du premier mot de la page.

Le mot est expliqué à chanson.

Les définitions ou les explications sont simples.

Les devinettes invitent à circuler dans le dictionnaire et à découvrir d'autres mots.

Pour apprendre d'autres mots en allant voir la planche sur le temps.

Les dialogues mettent les mots en situation.

La nature des mots est donnée pour le nom, l'adjectif et le verbe.

La baguette de fée introduit un autre sens du mot ou un mot de la même famille.

Tous les types de phrases sont représentés dans les bulles.

À partir d'un mot, on en découvre d'autres.

Les noms des personnages ont une majuscule.

Les verbes sont le plus souvent conjugués dans les récits.

Les féminins ou les pluriels difficiles sont illustrés par l'exemple.

Le mot est connu. Le dessin suffit.

Le balai de sorcière introduit une remarque.